D1063775

CLAIRE BRETECHER

Agrippine

Mozart c'est nul
sauf la musique du film

édité par l'auteur

IMPRIMÉ PAR CLAIRE BRETÉCHER SUR LES PRESSES DE
PRINTER INDUSTRIA GRÁFICA SA SANT VICENÇ DELS HORTS 1988 BARCELONA
ISBN: 2901076122
D.L.: B. 32509-1988
IMPRIMÉ EN ESPAGNE

TOP 50

oh Biron... mon amour

fais-moi un gros gros baiser
SILENCE JE REGARDE LE TOP

enfin bon dieu j'avais laissé "le jardin des racines grecques" sur le fridge et...
PAPA JE REGARDE LE TOP!

Agrippine ta pauvre grand'mère c'est affreux...
MAMAN JE REGARDE LE TOP!

pas maintenant please... je regarde le...

ah c'est toi vieille tare puante gluante

rien de spécial je regarde vaguement le top

c'est d'un nul!
BRETECHER

Couplet

TONG

BONG

TONG

maman

maman c'est vrai que tout est joué avant cinq ans ?

mais non c'est une théorie complètement dépassée

en général quand tu dis que c'est dépassé c'est que c'est revenu
BRETECHER

FEELING

maman je ne vois qu'une solution
ah, laquelle ?

la bleue
génial

maman please... il y a environ trois cent mille ans qu'on ne dit plus "génial"
je sais je sais on dit "giga"

quoi... "giga" ne se dit déjà plus ?
tout se dit si tu veux aller par là... même "épatant"

ça dépend comment tu l'inscris dans le contexte

un giga coup de pied au cul ça s'inscrit dans le contexte ?
tu te vexes

non j'essaie de comprendre alors : un concert giga, un giga plan ?

d'accord : un giga gigot ?

bien : une giga interaction un giga menu ?
THEU

continue à dire génial maman
BRETECHER

LAPSUS

BRETECHER

REFRAIN

Papoute Poute... j'ai besoin de 300 Francs pour la danse

mais il y a 15 jours à peine je t'ai donné des sommes démentes
le vieux joke papa! ça fait du moins deux mois

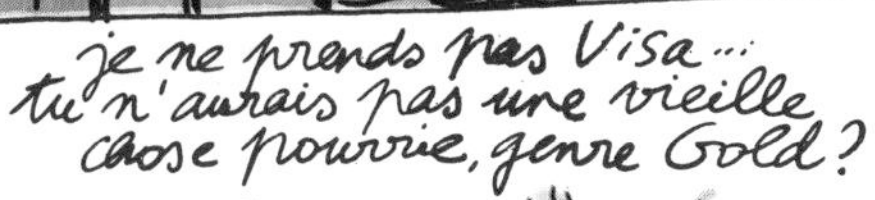
je ne prends pas Visa... tu n'aurais pas une vieille chose pourrie, genre Gold?

tu avais dit 300
oui mais il y a 150 en plus que j'ai avancés à maman sur mon mois d'août 92
donc que tu me dois

et comme Modern me doit 132 Francs de nounours je peux rendre à Bergère ses 21,50 et tu peux soustraire 200 des 600 que tu me dois pour la piscine
quels 600?

hey... ils ont mis des filtres à graniton sur plots spéciaux pour compète et l'eau est traitée anti-germes avec du tenseur biologique dedans
si tu crois que c'est grate bonjour

et même comme ça en bloquant sur tous mes frais c'est pas blanc-bleu que j'arrive à dégager la pendule de mamie que j'ai portée au Mont de Piété
la pendule?
giga lourde

Agrippine tu es folle tes lombaires...

j'ai pris Allo-Fret
BRETECHER

AUBADE

tu prends l'Univers, l'Espace, les Galaxies et tu poses ta vie à côté du point de vue de la conscience

alors tu t'aperçois que l'Absolu n'est pas un résultat mais une potentialité par rapport à ton syncré-tisme

nous sommes la première génération à induire un renversement des dimensions d'où une série de codes de base à définir sur le marché mondial

Montaigne l'a bien dit : "je peux donc je suis"... il a seulement oublié les composants primaires c'est comme quand les grecs ont dé-couvert le Pi

et par exemple moi initialisé très jeune j'ai un giga besoin de position-nement inter-personnel
Modern...

tu es un génie mais tu ne m'intéresses pas physiquement

toi non plus tu ne m'in-téresses pas physiquement
t'as vu l'heure ?

et tu n'es pas très in-telligente
qui moi ?

on va voir... répète un peu ce que je viens de t'expliquer
BRETÉCHER

LA DOUCHE

NUL NUL
NUL
NUL
NUL
NUL

BEUAAARK
ROIÏÏÏRK

pure shit
the fuite

j'ai l'impression que tu as aimé à un moment donné
moi... t'as vu l'heure?

je t'ai entendue renifler
c'était le raymond d'à côté

tu n'es pas obligée d'être toujours de mon avis
dis donc... je ne suis pas complètement molleton

c'est toi Agrippine?
oh Biron mon amour tu me fais un mimi?

alors... quel film avez-vous vu finalement
tu viens Bergère
Terminator

quelle idée il paraît que c'est très mauvais
oui

qu'est-ce qui te fait dire ça maman?
BRETECHER

POEME

papoute mon papoute

tu me déranges Agrippine
juste un petit baiser

tu écris sur quoi en ce moment mon chéri?... si si ça m'intéresse

eh bien tu vois, je travaille sur une fine de claire

l'ennui est que celle-ci n'est pas assez laiteuse
t'as qu'à dire qu'elle l'est

je ne fais pas dans l'imaginaire moi, fille! je ne suis qu'un écrivain du Réel...

avec sa force avec son jus!
il y a un mec à Carantec il arrive à faire gerber les huîtres

pas assez laiteuse voilà le hic
ça raconte quoi?

ce n'est qu'une huître qu'est ce que tu veux que je te dise j'essaie de la mettre en valeur

son irisation sa rétractation sa fibrillation son esprit de rédemption

ça peut faire une success-story?
BRETECHER

LE CERVEAU

Modern on va être en retard

je ne viens pas... je suis sur un coup

GONFLAGA

une demi-heure de bus... tu me téléphones même pas... tu es grave
ça m'a pris vapeur, tu peux pas comprendre

ouopopoh yeah

Kacem le Moël a réussi à percer le code de la BNP de la rue Victor Macé

ouais... ce genre de sketch m'éclatait moi aussi... quand j'étais jeune... on s'en lasse

il y a plus giga... le flot n'est pas tout dans la vie
arrête

tu pourrais faire passer six zéros sur ton compte
tu ne le ferais pas ?
nega

moi, je suis sur le réseau SPAN de NASA alors les condamnés toujours en train de courir après un milliard moi ça me plie
je peux téléphoner ?

dans l'entrée

deux francs
BRETÉCHER

POURBOIRE

une bricole pour ton fils
il va être fou

C'est pour qui mon chéri ? devine
SNIF SNIF

ce n'est pas la peine de lui faire de cadeaux il en a trop
Biron dis merci

celui-là il l'a déjà
on peut le changer

oh ils ont laissé le prix
459 Francs !

459 Frs pour un moul de son âge... non... ça me troue
oublie-la

quand je pense à tout ce que je pourrais faire avec 459 Frs ça me prend vapeur
oh ça suffit Agrippine

j'y ai pensé voilà
OUAIS giga... la joie !
oh merci

500 Francs !

tante Gugu m'a filé un pascal...
remarque c'est nice d'elle

mais que veux-tu que je croque avec un pascal ? les gens sont d'un rat papa !
BRETECHER

LA BAMBA

babala
babala
bala bamba
tais-toi

babala
se necesita
y alliba
y alliba
TAIS-TOI
JE LIS

yo no soy
malinelo
pol ti sélé
pol ti sélé
BIRON
TAIS-TOI

una poca
de glacia
soy capitán
soy capitán
TAIS-TOI
TU CHANTES FAUX
ET QUAND ON EST
À CÔTÉ DE TOI
ÇA
CRAINT

moi je suis
à côté de toi
et tu pues

RRRRRRR
RRRRRR

t'inquiète...
tu l'auras
ta demi-livre

oui... non... pour
le cours
d'espagnol?

une fiche de lecture
sur quoi... les paroles
de la Bamba?
HHHAN
j'avais
complètement
oublié

pour demain matin...
tu les connais, toi,
les paroles...
tu as la cassette?
moi non plus
HHHAN

chante
BRETECHER

PERSPECTIVES

HYMNE

je ne comprends pas ce que tu trouves à cette andouille de Modern
il est giga

il craint
tu n'y connais rien... moi j'ai un flair pour les gnolguis

il faut futuriser un max... Modern est encore molleton, j'admets, mais à 18 balais il sera canon
il a un gros cul

c'est nul ! il achète ses 501 à Moscou et il a deux paire de Weston je m'excuse

tout le monde dit que tu es amoureuse de lui
je n'ai encore rien décidé d'ailleurs je ne te le dirai pas tu le répéterais à tout le monde
il te roule des gades ?
même à toi je n'aime pas tellement parler de ça... je suis très prude comme pouffe

alors qu'est-ce que tu fais quand tu sors avec lui
on s'éclate... je ne comprends pas tout ce qu'il m'explique toi tu ne comprendrais rien

et dans combien de temps as-tu l'intention de conclure ?
ce que tu peux manquer de tact et de discrétion par moments ça me troue
pose-moi encore des questions
BRETECHER

FAVEURS

j'ai justement envie
de garder pour moi
le cadeau que
je t'ai
acheté
ouais...
c'est quoi ?

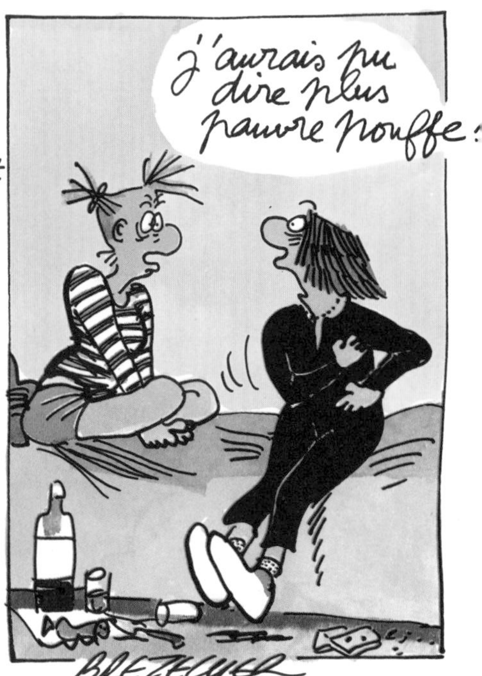

HAÏKU

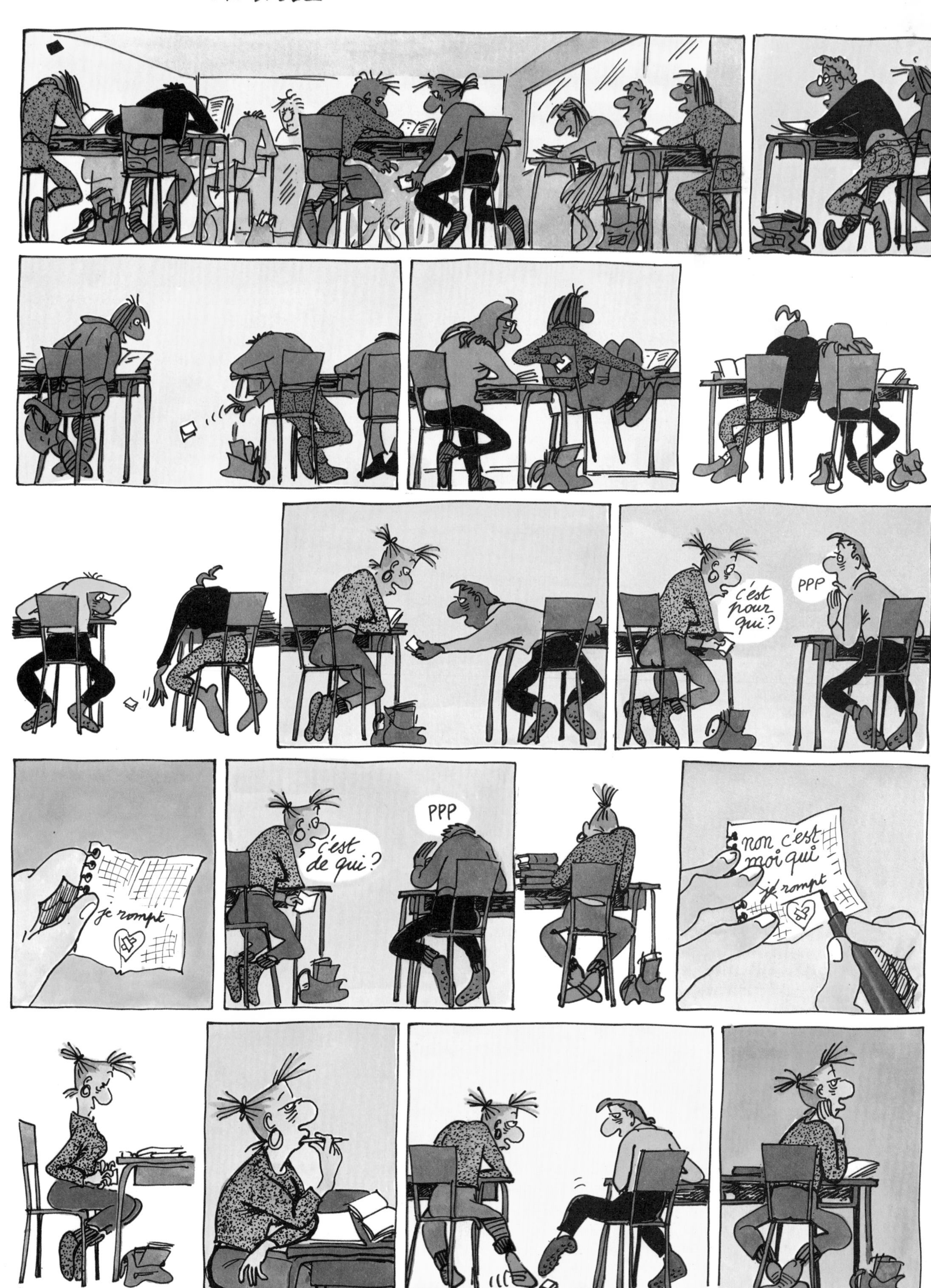
c'est pour qui?
PPP
je rompt
c'est de qui?
PPP
non c'est moi qui
je rompt
BRETECHER

L'ATTENTAT

il est mort ?
non mais tocsin ! ses biomanes sont raides collapses
qu'est ce qu'il y a ?

Hernani Quéméneur a tenté de se suicider
comment il a fait ?

sauté 9 marches la bouche pleine de tagadas et la sono à fond
Hips

qu'est ce qu'il y a ?
je ne peux pas te le dire...

... sauf si tu jures de ne pas le répéter
répéter à qui ?

Hernani Quéméneur c'est moi qui l'ai tué
ah ?

oui... j'ai fait passer un mot l'autre jour dans la classe... à tous les coups c'est lui qui l'a ramassé et ça l'a pris vapeur
quel genre de mot ?

genre rupture
ouais ?

Hernani est en triple folie avec Moonlight Mollard depuis 10 siècles tout le monde le sait

tu devrais gratter des scénars

c'est quand même giga que tu sois raide jalmince parce que j'assassine un gnolgue

LE BOULET

c'est ma copine Coco qui demande si tu baby-sitterais ce soir

BABY-SITTING CE SOIR

ouais bonjour
ouais
vous payez combien ?

ouais... c'est tout ? je préfère plus... et les deux taxis... OK
ouais

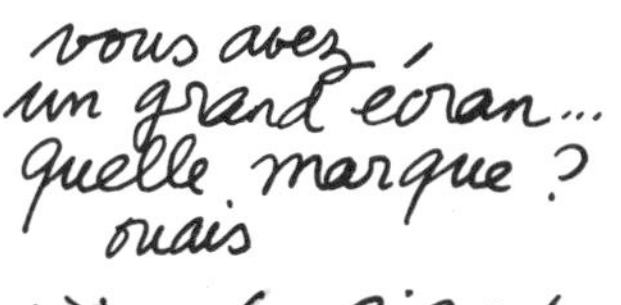

vous avez un grand écran... quelle marque ? ouais

giga !

une antenne parabolique ? vous recevez combien de chaînes ? nooon ?
GIGA

et si tout est nul sur les 45 chaînes vous avez quoi comme vidéos ? ouais... giga !... et je peux me servir du minitel ?

oh n'importe quoi : du saucisson sec, des chips des corniches russkoff... vous avez des cônes ? ouais... des marsh et des tagadas... n'importe quel parfum
sauf fruit de la passion

biberon ?

eh... j'avais oublié j'ai un contrôle de maths demain matin
ouais
désolée

alors ça marche ?

ALORS ÇA MARCHE ?

non eh c'est galère... il y a un môme
BRETECHER

élégie

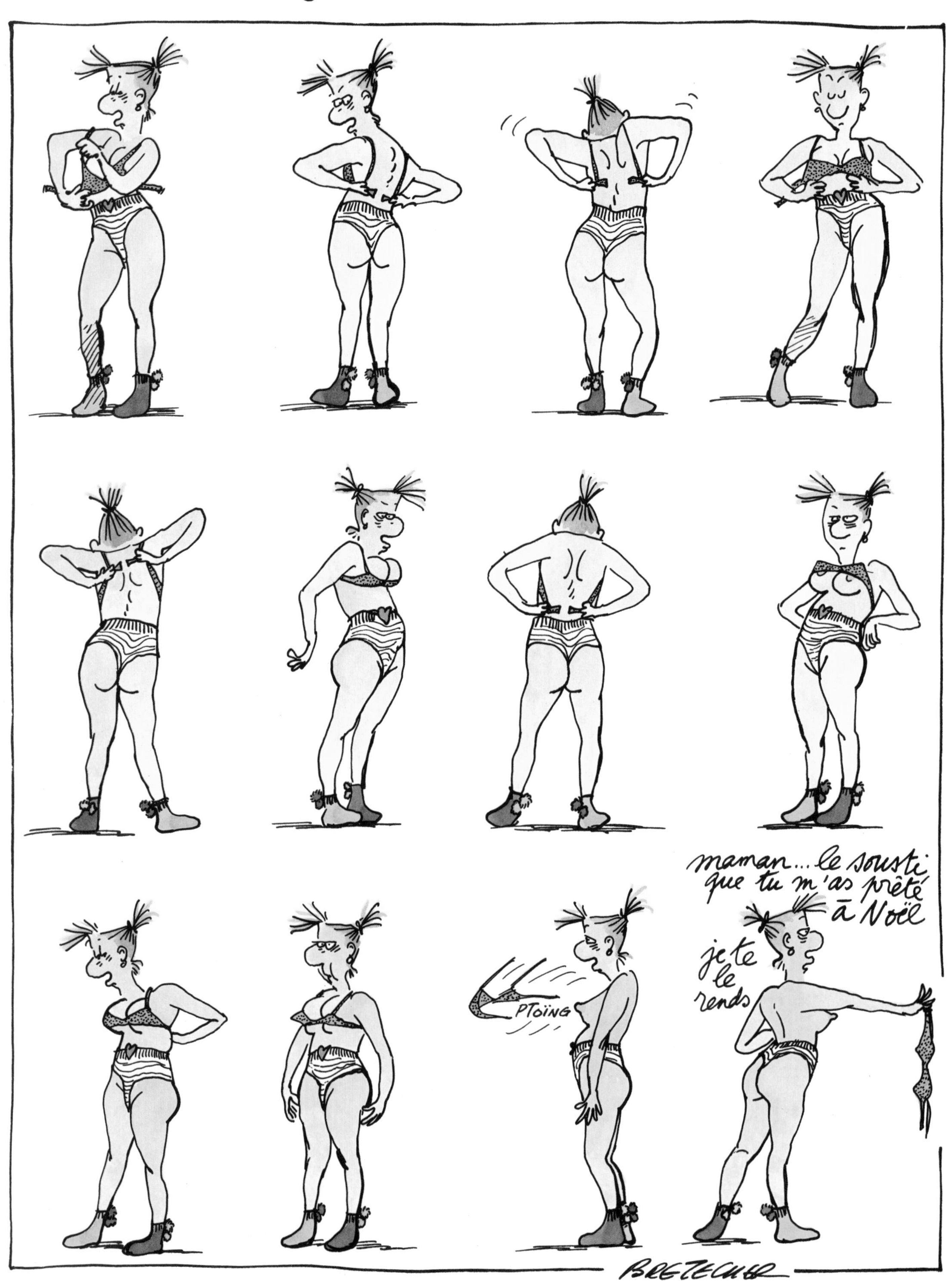
PTOÏNG
maman... le sousti que tu m'as prêté à Noël
je te le rends
BRETECHER

LES ESCARGOTS

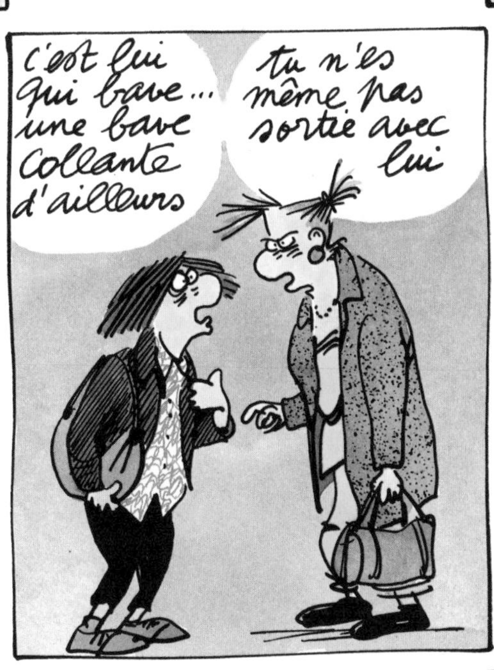

BRETECHER

PARAPHES

ROOOMBLAAAA

giga
giga
Agrippine
Agrippine

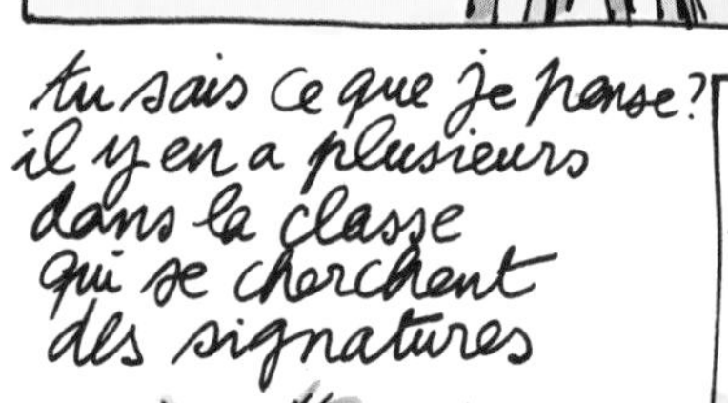
tu sais ce que je pense? il y en a plusieurs dans la classe qui se cherchent des signatures

Ce serait vendeur comme coup... mettons 30 Francs pièce
je te fournis des noms c'est 30%

"Chlorine Bankrut" en plus elle a du flot

Chlorine Bankrut

HEY TARZAN...
JE SUIS FORCE ROUGE
ET JE VAIS DESINTÉGRER
G. I. JOE !

TOOOMBLAAA

raté !... ce trésor d'amour est tellement cute qu'il a fait bien attention à ne pas te bousculer
non... il veut son pourcentage.
BRETECHER

Cantique

7 en allemand
le prof d'allemand est chronique... même Kacem le Moël n'a eu que 12

alors qu'il est giga fort... l'un de ses demis est allemand et ils habitent tous les deux chez son père

pareil il n'a eu que 11½ en anglais alors qu'il est faux-demi avec Moonlight Mollard qui est anglaise par sa mère

et toi : 6 en anglais
Chlorine Bankrut a eu seulement 10, elle a deux demis américains et elle y va tous les week-ends

le prof d'anglais est totale déprime parce qu'elle est 258ème en liste d'attente pour la fécondation in vitro

je le sais parce qu'elle habite sur le même palier que le double de Bergère qui fabrique des trompes en silicone enrichi pour l'hôpital de Clamart

le double?
le double-demi quoi... le frère
ah bon... et 6½ en maths?

l'ex-beauf de Bergère est agreg de maths... tu sais celui qui est chôme... elle va le voir au square pour ses devoirs mais ça vaut peanuts parce que le prof est aigri

9 en français!
le prof est séropo

d'ailleurs Rouge-Gorge de Cossé-Balzac n'a eu que 11 alors que son demi-double écrit des encyclopes

demi-double ?
maman... ce n'est pas pour critiquer...

...la famille one-mariage peut-être que c'est looké mais honnêtement, c'est douleur pour les études
BRETECHER

BIZNESS

quand je pense que les tournesols de Degas ont fait huit zéros et que j'ai pas une goutte pour m'acheter ma télé ça me troue

j'ai une idée pour faire une montagne de jus... personne n'y a pensé... je te la dis si tu me jures de ne pas le répéter
ouais

ça m'a pris vapeur rien qu'en concentration... je me demandais justement pourquoi la peinture vaut une telle folie

tu vas me dire parce que les gens aiment l'Art
ouais

ou alors c'est des coups medias montés par des grugeurs de pigeons
ouais

réponse: écoute-moi bien: l'Art c'est la religion les artistes sont les saints, les tableaux sont les reliques tu suis le train?
ouais

autrefois une dent de sainte Agrippine valait des millions de dollars et qu'est ce qui a toujours été le plus coté comme relique à ton avis?

les morceaux de la vraie croix!... si tu ne sais pas ce que c'est demande à ta grand'

alors... écoute bien: 150 balles pour une toile 250 balles d'acrylique et moi JE TE PEINS UN PORTRAIT D'UN MORCEAU DE LA VRAIE CROIX

tu vois où ça mixe dans l'inconscient collec?
c'est giga

et où vas-tu trouver un morceau de la vraie croix?

un coup de nez éclatant... 300 balles aux Puces

BRETECHER

PSAUME

BRETÉCHER

AU BERCAIL

il y a des invités ce soir ?
oui... Albert et Frifri

qu'est-ce qu'on fait dimanche ?
oh je ne sais pas... on ira peut-être aux Puces

qu'est-ce qu'on fait pour les vacances de Pâques ?
Tu sais bien que tu vas à Noirmoutier chez tes cousins

alors quand est-ce qu'on va en Californie ?
ah très drôle c'est tout à fait le moment

ça me troue

il paraît qu'il y a des biomanes qui motivent leurs mouls avec des giga projets
enfin bon

qu'est-ce qu'on fait aux grandes vacances ?
je compte t'envoyer dans une famille américaine

quoi ?

Nega pour aller dans une nulle famille américaine moi je m'éclate ici
BRETECHER

Plis

souffle...
pousse...
tire...
détends...
serre...
souffle...

c'est nul
zéro
bon

tout le monde au saut...
à petites foulées...
on souffle!

tu n'as pas vu les 4C2?...
qu'est-ce qu'il y a
ça ne va pas?
je suis nulle
en corde d'ailleurs
je suis nulle en tout

mais non, il paraît que
tu es giga forte
en anglais et en dessin...
le reste c'est
comment?
moyen

bon alors si tu es sur le pli
seulement en corde y a pas
de récif
pousse
ta grosse
bouche
baveuse

je suis sur le pli
en corde
et en amour

BRETECHER

PROTOCOLE

il y a des jours où il n'y a plus qu'à bouffer du temesta en maudissant son karma

ça veut dire quoi Karma ?
destin

si ça veut dire destin y a qu'à dire destin c'est pas dur
Agrippine tu m'énerves

le karma c'est le destin déterminé dans tes vies futures par les actes de tes vies antérieures... exemple : si tu ranges ta chambre de temps en temps...

... tu as une chance dans une vie future d'habiter un somptueux palais
giga

sauf que j'ai aussi une chance de devenir femme de ménage c'est peanuts comme karma
tu m'énerves

donc tout peut se retourner contre moi donc le mieux est d'en faire le moins possible
va ranger ta chambre un point c'est tout

je vais mettre deux piles dans le karma d'Agrippine
BRETÉCHER

LE CONCERT

si on se perd on se retrouve à la porte B
RITA MITSOUKO
en haut... non... en bas des marches
MITSOUKO
au pire à la voiture je dis bien : au pire
ouah salut
c'est une copine à toi ça... quel âge a-t-elle ?
il y en a un qui a une tronche gratinée là, à droite
c'est toi qui as les billets ? non c'est moi
ton père te parle
tout va bien les filles ?
tu ne peux pas lui répondre ?
thank you... pour qu'on croie que c'est le mien !
BRETECHER

EGOTRUST

BRETECHER

RHAPSODIE

je vais faire quelque chose pour l'anniversaire de ta mère

peut-être un grand dessin de notre arbre généalogique

ou une bédé couleur sur sa vie avec son mari

ou alors je pourrais lui enregistrer une bande avec des chansons cul de son époque...
Georges Aznavour ou Mistinguett genre...

et entre les chansons je dirais des choses giga gentilles et tout

ou alors je pourrais écrire une pièce où elle serait la star....
on jouerait dedans aussi

je pourrais la filmer avec la camera video de Modern

ça la prendrait remous non ?
plus encore que tu ne crois

le demi de Bergère a tout le matos...
ça va prendre un temps fou
je fais un montage hyper-vapeur

tout peut être bouclé en une semaine à condition de sauter les repas

oui mais son anniversaire est demain... si tu lui envoyais simplement une petite carte
une petite carte ?

ah non... là ça m'esclave trop
BRETECHER

BOULETTE

complètement déchue cette pouffe... quelle hyène!

j'aurais dû lui répondre: "Et toi. l'autre jour avec Melfrid Potetoz?"

et toi l'autre jour avec Melfrid Potetoz?
oh la honte

tu sais la meilleure? Moonlight Mollard... cette morue avec ses gros nibards... elle m'a narguée
qu'est ce qu'elle t'a dit?

oh un truc nul et en plus ça ne la regardait pas... tu sais ce que je lui ai répondu?

je lui ai répondu: "Et toi l'autre jour avec Melfrid Potetoz?"
ça l'a trouée

c'est pas ça qu'il fallait répondre

il fallait répondre: "Ta gueule Gros Nibards"

allez à demain

BRETECHER

LE GESTE

j'ai un plan canon dans l'arrière-tête mais je ne te dis rien si ta nullasse de copine écoute
je n'écoute pas

tout bien pesé je me demande si je dois t'en parler
si vas-y

samedi je vais au Mac Do et je balance un Big Mac royal à travers la salle... attends...

et je ne regarde PAS où ça tombe
tu vas te faire avoiner la gueule

ce n'est pas le problème... c'est une démarche d'esthète... je pose un acte gratuit
giga

et comme tu es sous-ex ça va tomber sur un black et là bonjour le Pen... t'as la honte !
tu as écouté

ça me prend vapeur de discuter avec des pouffes qu'ont rien sous l'Oréal
Salut
Modern

si tu veux, avec Bergère, on peut se cotiser pour que tu ailles balancer du foie gras chez Bocuse
BRETECHER

LA FILLE DU PROLO

LE CARNAGE

5½ en british... mon père va m'exploser la tronche
ils sont galère tes biomanes?

mon père si j'ai pas la moyenne il vire séropo
et ta mère?

elle va me cueillir ras la frite et me collapser raide
c'est Biribi!
c'est Tataouine!

et lui va me trouer en huit et me massacrer la tête... lundi j'ai plus une dent

c'est Auschwitz

en plus pas de télé pas de glaces pas de siflard pas de bonbiques
c'est le Sahel

si tu veux je t'apporte la mange
si tu veux je te cache chez moi

non... c'est sur le pli... je trouille... touchez mes genoux

demain je te phone discretos
vas-y au secours vapeur
salut

pape... j'ai 5½ en anglais

tu pourrais faire un effort Agrippine
ouah... la prof est sous-ex d'ailleurs l'anglais ça sert à rien
et puis j'ai 12 en géo

so don't be cruel poute

SOLO

en 94 je me fais poser des seins

en 97 je me fais liposucer les cuisses

en 98 je me fais rajouter du menton

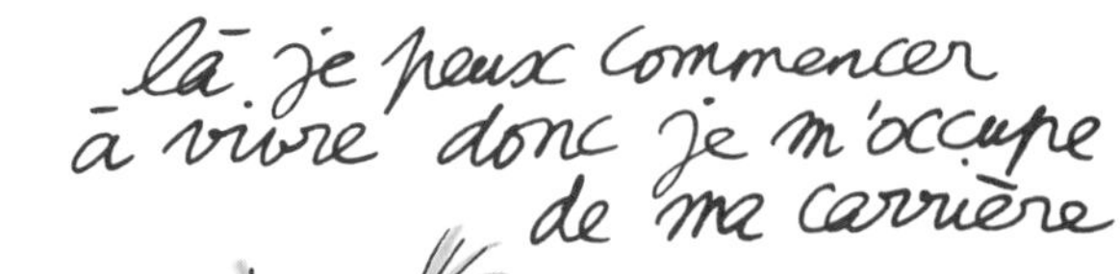
là je peux commencer à vivre donc je m'occupe de ma carrière

entre 2 et 6 j'ai 3 enfants en 7 je me fais retendre le ventre

entre 8 et 18 je gère mes réussites professionnelles émotionnelles et familiales

en 19 lifting complet de la tête aux pieds

C'est après que je ne sais pas quoi faire

BRETECHER

MADRIGAL

le petit brun...
là derrière... à lunettes...
ne regardez pas...

avec le pauvre
blouson
beigeasse

il me prend remous
raide
collapse

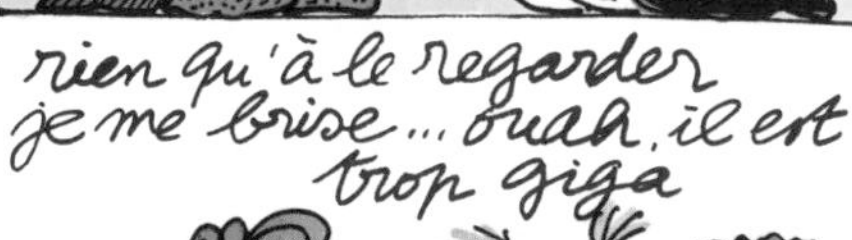

rien qu'à le regarder
je me brise... ouah, il est
trop giga

ben
et
Modern?
ah moi et Modern
c'est spécial mais
avec celui-là c'est
sexuel

tocsin... il a vu qu'on
meuh non il voit rien
il a des lunettes
le
mate

pouvez pas savoir
l'hyper-gade que j'ai
envie de lui rouler
il arrive
je vous dis
arrête
tu commences
à me vibrer
les plumes

dis donc toi là... tu stoppes le plan
parce que moi je ne sors pas
avec des moules
de troisième

t'as vu
ta tronche
bigloteux
qu'est-ce
que tu crois
banane
ça va pas eh... bloc d'agglo!
on t'a rien
demandé
casse-toi
mètre
soixante
tas
de
pouffes

encore un qui
ne sait pas
ce qu'il veut
BRETECHER

SERENADE

ouah ça me fait penser à un truc fun

c'est une star du muet qui disait euh...

je l'ai sur le bout de la langue attends...

C'est écroulant ! tu vas voir tu vas te fendre

"tu es content d'avoir un revolver"...
non c'est pas ça...

"qu'est ce que tu as dans ta poche pour me voir"...
merde !

Rouge-Gorge de Cossé-Balzac le raconte hyper bien ça m'énerve

ça y est je me rappelle... giga !

qu'est ce que j'ai fait ?

bon ça fait rien... c'était : "Tu as un revolver dans ta poche ou tu es seulement content de me voir ?"
BRETECHER

STANCES

j'ai failli avoir les félos
enfin...

en tous cas j'ai failli avoir le tableau d'honneur

j'ai failli avoir la moyenne en maths

j'ai la moyenne en dessin

j'ai 14 en gym
oui bon d'accord

en anglais c'est pas de ma faute si la prof a encore raté sa fécondation in vitro

j'ai failli ne pas avoir d'averto conduite

dans toute l'année j'ai même pas eu 100 heures de colle

alors quand même!

BRETECHER

CONCERTO

viens voir ici si tu serais mignon avec des boucles d'oreille

qu'est mour gue du gnois meau inmécile

PAF

mamie
quel bloc ce moul!

Agrippine laisse ton frère tranquille

c'est lui qui n'arrête pas de me gonfler les bronches

viens voir mamie mon canard
caca crotte prout zizi

tu dis que je m'occupe jamais de lui mais c'est impossible de jouer avec ce gnolqui

il est complètement infantile

BRETECHER

TOCCATA

ça fait un an qu'on sort ensemble... HA HA... et tu nies toujours de m'em-brasser
non je nie pas

sur la joue OK. d'accord... tu me prends pour un bloc d'agglo?
c'est nul de dire ça

on va pas se voir pendant deux mois... ça t'esclaverait de me rouler un gade pour me dire au revoir?
ben...

TSAAA
Modern!

MODERN
laisse-moi pouffe

tu m'écriras?
HAAP

on se quitte sans se retourner OK?
GA

BRETECHER

RENGAINE

les filles il faut que je vous parle

très sérieusement
du Sida

oui je sais c'est le cadet de vos soucis mais je dois le faire

que ça vous plaise ou non les jeunes seront bientôt la première catégorie à risque

j'ignore si le moment est adéquat mais vous devez d'ores et déjà être informées de la conduite à tenir

je sais aussi que les interdits ne font que stimuler la transgression et que d'ailleurs...
passe-moi ton chewing
FTOUI

... quand on est amou...

ouah les malabars c'est nul... ça glisse pas

qu'est ce que j'ai dit ?

tiens ton chewing

Comment peux-tu être aussi vulgaire avec ta mère ?
c'est elle qui a commencé
BRETECHER

QUÊTE

le petit brun à lunettes qui te tenait la main c'est qui ?
c'est Mirtil il est nul

et le rouquin qui a l'air d'un rat ?
oh c'est Virgulio... il craint

alors Modern c'est lequel ?
ben c'est un autre que tu connais pas

et le grand tête à claques pas mal dans le genre facho mou ?
oh c'est Morphée Naumann... il est giga

tu sors avec ce mec là ?
oh tu me troues... on était fiancés en sixième... c'est juste une vieille tare gluante

et le putois qui t'écrit trois fois par jour avec une écriture d'illettré ?
personne ne m'écrit à part Bergère

arrête... je connais l'écriture de Bergère
mais prends pas vapeur poupoute... les gnolguis cul serré ça me plie les bronches...
moi j'aime les vieux

en fait je cherche un père
BRETECHER

L'IMPASSE

ALORS?

tu sais bien que je suis complètement velléitaire comme pouffe
à trois je me casse

UN

deux
fraise-pistache
BRETECHER

CHARADE

mon premier est la canne d'un religieux oriental alcoolique mon deuxième est un animalcule piquant...

... immigré chez les oiseaux et mon tout est la motivation d'un café parisien

vous allez voir c'est giga

alors mon premier : LONG BOIS DU MOINE HYDROPHOBE...

attendez vous allez vous fendre... mon deuxième : OURSIN BEUR À AILES

donc mon tout... là vous collapsez raide : LONG BOIS DU MOINE HYDROPHOBE OURSIN BEUR À AILES

j'explique : L'ON BOIT DU MOINE... euh c'est pas ça...

ouah je me suis plantée vapeur... attendez

c'est pas MOINE c'est BONZE et c'est pas OURSIN BEUR À AILES c'est OURSIN DE NID

bon alors attendez vous allez être pliés... ça fait : LONG BOIS DU BONZE HYDROPHOBE OURSIN DE NID
putain je raconte hyper mal

L'ON BOIT DU BON CIDRE AU FAUBOURG SAINT-DENIS
elle l'a fait

CONTREPOINT

FUTUROPOLIS

Déjà paru édité par l'auteur :

Les frustrés (1)
Les frustrés (2)
Les frustrés (3)
Les frustrés (4)
Les frustrés (5)
Le cordon infernal
Le bolot occidental
La vie passionnée de Thérèse d'Avila
Les mères
Le destin de Monique
Docteur Ventouse Bobologue (1)
Docteur Ventouse Bobologue (2)